UN NUEVO MUNDO

Aventuras en el universo de

Minecraft
Libro 1
(No oficial)

Ginés Ladrón de Guevara

Si te ha gustado el libro, ven a nuestra página

www.eligetusaventuras.es

Podrás encontrar más aventuras, nuestros próximos

lanzamientos, concursos y premios.

O, escríbenos a **fan@eligetusaventuras.es**

Publicado por Ibukku
www.ibukku.com
Maquetación: Índigo Estudio Gráfico
Copyright © 2015 Gines Ladrón de Guevara
All rights reserved.
ISBN paperback: 978 0-9965541-6-9
ISBN ebook: 978-0-9965541-7-6
Library of Congress Control Number: 2015950316

Dedicado a Alejandro y Jorge,
mis magníficos ayudantes

UN NUEVO MUNDO

Aventuras en el universo de

Minecraft

Libro 1
(No oficial)

Ginés Ladrón de Guevara

¡¡¡ATENCIÓN!!!

Este libro, no se lee como los demás. En él, TÚ eres el protagonista.

Eres tú el que vivirá las aventuras más emocionantes, intrigantes y... peligrosas. Tendrás que decidir qué caminos seguir, qué misterios investigar, y qué monstruos combatir. Bueno, ¡o, huir de ellos!

Al final de algunas páginas, encontrarás una línea que cruza, y debajo, una, dos, o más opciones. Si lees "pasa a la página ...", eso es lo que debes hacer, para continuar tu aventura. Debes seguir leyendo en la página que te indica.

Pero, si resulta que tienes varias opciones diferentes, ¡DEBES ELEGIR UNA! Antes de cambiar de página, piensa lo que quieres hacer, y ve a la página indicada. Hay opciones valientes, otras prudentes, y otras temerarias.

¡La elección está en tus manos, aventurero!

DICCIONARIO DE MINECRAFT

Aldeano: habitante de una aldea. A veces tienen artículos a la venta, y te piden otros, a cambio.

Araña Gigante: monstruo similar a sus hermanas pequeñas, pero de tamaño enorme. Es rápida y peligrosa, pero sólo ataca de noche.

Creeper: monstruo muy peligroso, sin brazos, pero con cuatro patas. Camina, silenciosamente, y trata de acercarse a los aventureros. Cuando está cerca, empieza a emitir un siseo, y de repente ¡explota!

Esqueleto: muerto que camina, y suele estar armado con arco y flechas. El Sol les prende fuego.

Gólem: guardián mágico. Los aventureros los construyen para proteger sus casas y propiedades. Normalmente son de hierro.

Zombi: monstruo lento y torpe. Es un muerto que camina, y ataca con sus manos podridas. A veces, utiliza armaduras o armas. El sol les prende fuego.

¡AQUÍ COMIENZA TU AVENTURA!

Es fin de semana, y tras terminar tus tareas de casa, tus padres te han dejado encender la consola de videojuegos. Como has terminado pronto, ¡vas a poder jugar un buen rato!

Hoy, eso va a ser, especialmente, emocionante, porque vas a probar tu nuevo juego, Minecraft. Tus amigos del colegio te han dicho que es buenísimo. Así que, estás deseando comprobarlo.

Minecraft es un juego increíble, lleno de posibilidades. ¡Puedes hacer cualquier cosa, lo que quieras! Mientras intentas comprender cómo funcionan las cosas, y para qué sirve cada botón, te desplazas por un mundo nuevo, explorando. Lo disfrutas tanto, que la tarde se te pasa volando. De repente, tu padre te dice que es hora de quitar la consola, y acudir a cenar.

UN NUEVO MUNDO

Te acuestas emocionado, y piensas que, como es fin de semana, aún te queda una tarde más, para disfrutar del nuevo juego. Hoy has explorado un montón, pero cuando se hacía de noche, en el juego, había muchísimos monstruos, ¡y te atacaban! Arañas, esqueletos, zombis, creepers, ¡buf! Todo tipo de bichos raros y peligrosos. Durante un rato, era muy divertido, pero, para mañana, decides que quieres construir tu propia casa, donde poder pasar las noches a salvo, y guardar tus cosas.

Por la mañana, le cuentas a tus padres, entusiasmado, todo lo que se puede construir, en tu nuevo juego. Una casa, un castillo, una catedral, ¡y hasta una pirámide!

¿Qué construirás primero? Ya sabes, muy bien, lo que pasa si te quedas a la intemperie, de noche. ¡Está claro por dónde empezar! Necesitas una casa, donde estar a resguardo de tanto monstruo.

Quizá, si encontrases una, te ahorrarías mucho trabajo. Según te han dicho, hay pueblos, repartidos por el mundo.

¿Qué será más práctico? ¿Explorar hasta encontrar un pueblo? ¿O, buscar un bosque, donde conseguir madera, para hacerte una cabaña?

Si quieres buscar un pueblo, pasa a la página 151

Si prefieres buscar un bosque, para recolectar madera, pasa a la página 16

Echas un vistazo sobre ti, y compruebas que subir, no va a ser tarea fácil. Saltando, imposible. No hay repisas, lo suficientemente, cerca. Si lo intentas, te vas a despeñar.

Entonces, te paras a pensar un momento. Pero, ¡si tienes herramientas! Tienes un pico, y una pala, para poder subir sin peligro. Si excavas la pared, hacia arriba, puedes tallar unas escaleras, por donde alcanzar la superficie.

Sacas el pico, y te pones a la tarea. Al principio, te cuesta un poquito, pero conforme vas practicando, cada vez consigues hacerlo más deprisa.

Conforme vas avanzando, recoges los bloques de tierra que extraes. Cuando te das cuenta, de que vas a tardar un montón en hacer las escaleras, se te ocurre otra manera de subir, incluso más rápida. Puedes poner los bloques que has recogido, justo debajo de ti, en columna, y al ponerlos, te harán subir.

Un bloque tras otro, los vas amontonando en columna, bajo tus pies, y subes, subes, subes, hasta la superficie, en un santiamén. ¡Buen trabajo!

Una vez arriba, sacas el mapa, y te orientas de nuevo, antes de ponerte en marcha hacia el templo.

Pasa a la página 93

Como tienes espacio suficiente, consigues mantener la distancia, entre el creeper y tú. Pero, no quieres enfrentarte a él, y tampoco vas a encerrarte en la cueva. Así que, no te queda otro remedio que huir al exterior.

Sales disparado hacia la salida, cuando ves que entran los dos zombis. ¡Os han oído, y vienen hacia ti!

Das la vuelta, ya no puedes escapar por ahí. Los zombis también te atacan. Y, si te rodean, estás perdido. El túnel es tu única posibilidad. ¡A correr!

Vuelves a esquivar al creeper, que sisea, furioso, y te diriges al fondo de la cueva, tan rápido como eres capaz de moverte.

Pasa a la página 99

¡Los zombis se te echan encima!

El foso parece profundo, pero no ancho, y saltarlo es fácil. Tomas un poco de impulso, y caes al otro lado, junto a la primera pareja de golems. Ellos ni se mueven, ni reaccionan. Así que, avanzas un poco más, y saltas el siguiente foso. El pasillo está iluminado por antorchas. Sólo debes preocuparte ¡de no dar un mal salto!

Tardas un buen rato, en atravesar el largo pasillo, lleno de fosos y guardianes. Pero, finalmente, el pasillo desemboca en una gran sala.

Pasa a la página 76

El templo es tan bonito por dentro, como por fuera. Sencillo, sobrio, pero hermoso.

Estás en un gran patio interior, bordeado por las altas paredes del templo. Apenas hay decoración. Es alargado, y al fondo, ves unas grandes puertas centrales. Además, ves otros dos umbrales, sin puertas, uno a cada lado de la gran puerta central.

No tienes ni idea de por dónde empezar, pero el Anciano te dijo que buscaras el acceso a las Minas Profundas. Quizá sean unas escaleras, o un pozo.

Si abres las grandes puertas, pasa a la página 56

Si entras en el umbral de la izquierda, pasa a la página 141

Si entras en el umbral de la derecha, pasa a la página 91

Das un buen rodeo, hasta que llegas a la ladera de la montaña. Observas, que los zombis miran en otra dirección. Entonces, te aproximas a la cueva, pero desde atrás. Es imposible que te vean.

Cuando estás encima de la entrada, compruebas que no hay mucha altura, y simplemente, te dejas caer. ¡Conseguido! Esos tontos zombis no se dieron ni cuenta.

Entras en la cueva, con precaución, y echas un vistazo. Está claro, que necesitas luz. Sacas una de las antorchas, y la clavas a media altura, en una pared cercana. ¡Mucho mejor!

La cueva es bastante grande, tiene un techo alto, y se extiende, en forma alargada, hacia el interior de la montaña. De un primer vistazo, distingues que hay minerales en sus paredes. "¡Magnífico!", piensas. "Ojalá, alguno sea oro."

Sin embargo, tu búsqueda del oro deberá esperar un poco más. Al fondo de la cueva, escuchas pasos. Y, que tú sepas, eso sólo puede significar monstruos.

Vuelves a sacar tu espada, y te acercas, con cuidado. ¿Habrá más zombis?

Ves que hay un túnel, algo estrecho, que se introduce en la montaña. Quizá, conduzca a otros pisos de la mina. De él sale el sonido de pasos. Te acercas un poco más, y entonces lo ves. Otro zombi, que se vuelve hacia ti, y avanza.

¡Espera, eso no es un zombi! Es uno de esos monstruos terribles, que explotan al acercarse. Asustado, te apartas del creeper, tan rápido como puedes. Pero el ser, sin decir una palabra, se dirige hacia ti, mientras emite un sonido siseante. ¡Va a estallar! Tienes que apartarte de él, como sea.

Correteas por la cueva, mientras el creeper te persigue. Pero, además, recuerdas que, aún, hay dos zombis fuera. Si os oyen, vendrán también

Si atacas al creeper con tu espada, pasa a la página 53

Si le rodeas, y sales disparado de la cueva, al exterior, pasa a la página 9

Si le rodeas, y te introduces en el túnel del que salió, pasa a la página 148

Encontrar un bosque, no puede ser difícil, y en él habrá toda la madera que necesitas, para construir tu casa. Decides empezar por ahí, y recorres la pradera.

Ves colinas, una montaña bastante alta, varios lagos, y tras un rato de exploración, un gran bosque. ¡Estupendo!

Sin embargo, cuando te acercas, ves también, que hay un poblado, en las cercanías del bosque. Mira que bien, igual no tienes ni que construir la cabaña. Seguro que hay alguna casa vacía, que puedas aprovechar.

Pasa a la página 133

¡Qué luz tan intensa! Por un momento, no puedes ver nada, toda la pantalla del televisor se ilumina. ¡La luz inunda el salón de tu casa! Por un momento, te entran ganas de llamar a tus padres, y de repente, la luz empieza a disminuir. Pero, ha sido tan potente, que aún no ves con claridad.

Miras a tu alrededor, esperando que se aclare tu vista, y encuentras las cosas muy… cambiadas. ¿Qué le ha pasado a tu salón?

¡Madre mía, han desaparecido los muebles! Ya no estás sentado, estás de pie, y tienes un aspecto… extraño.

Te miras las manos, y están cuadriculadas, como en el juego. Tus piernas también. ¿Qué es lo que ha ocurrido?

Oyes unos pasos, detrás de ti. Te das la vuelta, y ves, entrar en la sala, a un aldeano de Minecraft. Un anciano, con barba gris, y con la cabeza de tamaño normal, por cierto. ¡Y comienza a hablarte!

– ¿Qué haces aquí? Oh, Dios mío, ¡vienes del exterior! ¿Has tocado la Esfera Dorada?

– Ah, sí, lo siento –respondes. –No sabía qué era, y quería averiguarlo.

– ¡Averiguarlo! ¡Averiguarlo! Bueno, pues ya lo has averiguado. ¡La Esfera es un portal mágico! Un portal entre tu mundo y el nuestro… y lo has atravesado.

¿Atravesado? ¿Un portal mágico? ¿Qué quiere decir el anciano, que ahora estás en Minecraft? Pero, eso es imposible.

– ¡Eso es imposible! –dices, inmediatamente. –Minecraft es un juego, no se puede entrar en él.

– Normalmente, no, jovencito. Nadie puede, excepto… excepto aquellos que utilizan la

Esfera Dorada. Tú no deberías haberla encontrado, y mucho menos, haberla tocado. Pero, todo es culpa mía. Yo soy el Guardián de la Esfera, y he fracasado en mi tarea. Debí tener más cuidado –dice con gran pesar.

Espera un momento. O sea, que la Esfera Dorada es un portal al mundo de Minecraft. Y, tú lo has tocado. Y, ahora, ¡estás dentro del juego! ¡Dentro del mundo de Minecraft!

¡¡¡Guau, es genial!!! Te miras, y compruebas lo que viste antes. Eres "cuadriculado", tienes colores lisos, y te mueves, mmm, te mueves "raro". Claro, porque ahora, eres un personaje de Minecraft. ¿Cómo dijo tu padre, cuando vio el juego? Que tiene un aspecto… ¡pixelado! Eso dijo, pixelado. ¡Estás pixelado!

El anciano te mira, confundido.

– No lo entiendo, pareces muy contento.

– Es que, es genial, ¡estoy dentro de Minecraft! ¡Es alucinante! ¡Verás cuando se lo cuente a mis amigos!

El anciano tuerce un poco el gesto, y responde.

– Bueno, verás, ese es el problema. Mira tras de ti.

Haces lo que te pide, y compruebas que, la enorme Esfera Dorada, ya no es nada brillante. Su color se ha extinguido, y convertido en una bola gris y apagada.

– ¿Ves a qué me refiero? –dice el anciano. – Si no recuperamos la energía de la Esfera, no podrás volver a tu mundo.

Vaya. Hay que devolver la energía a la Esfera. ¡Eso parece todo un reto! Y, una estupenda aventura con la que comenzar en este mundo nuevo.

– Mmm, ¡pareces un chico valiente! Eso es bueno, te hará falta el valor. Pero, no te confíes. Recuperar la energía de la Esfera Dorada será una tarea difícil, a la altura sólo de los más aguerridos e ingeniosos.

– ¿Qué significa "aguerrido"? –preguntas.

– Búscalo en el diccionario, jovenzuelo –gruñe el Anciano. – Lo que quiero enseñarte, es cómo recuperar la Esfera, antes de que sea demasiado tarde. ¡Si pasas demasiado tiempo en Minecraft, no podrás volver!

"Eso no es bueno", piensas, preocupado.

– ¿Cómo hago para reactivar la Esfera?

– Te lo explico. ¿Sabes lo que son las manzanas doradas?

– Ni idea –confiesas.

– Son un tipo muy especial de comida. ¡Completamente mágicas! Muy útiles para cualquier aventurero, y realmente, costosas de conseguir. Bien, pues necesitamos tres de ellas.

– ¿Se pueden comprar? ¿O, tengo que buscarlas por el campo? ¿Hay manzanos dorados, o algo así?

– No, no se pueden recolectar. Aunque, una leyenda habla de un Manzano Dorado, no sé si existe, siquiera. No, no, lo que hay que hacer es "fabricarlas", en mi horno.

– ¿Las manzanas doradas se fabrican? –preguntas, asombrado.

– Se cocinan, jovenzuelo. ¡Y cuesta un montón! Para cocinar una sola manzana dorada, necesitamos ocho lingotes de oro, y una manzana. Tengo manzanas de sobra, en mi huerto, pero no guardo tanto oro. Tienes que traerme más.

– ¿De dónde?

– De las Minas Profundas, bajo el Templo del Este. Te daré un mapa, para que las encuentres con facilidad, porque están bastante lejos.

– ¿Cuánto oro tengo que traer?

– En mis cofres, guardo dieciséis lingotes. Y, como hay que elaborar tres manzanas, y cada una cuesta ocho lingotes, tendrás que conseguir…

Si calculas que os faltan diez, pasa a la página 147

Si crees que son ocho, pasa a la página 126

Si piensas que son cinco lingotes, pasa a la página 35

Bajas por el otro lado de la colina, y te introduces en la aldea. Efectivamente, no se ve ni un alma. Ves una zona con acequias, y lo que fueron cultivos, pero ahora, no crece nada. Sólo hierbajos, y tampoco hay animales. Cuando te asomas dentro de las casas, todas están vacías. Qué misterioso.

Estás a punto de volver al templo, cuando te llevas un buen susto. Doblas la esquina de la calle, y encuentras ¡un ser enorme y extraño! Se parece a un hombre, pero es mucho más alto, estirado, y su piel es totalmente oscura. Tiene un aspecto muy siniestro.

El extraño ser está ocupado, con algo que lleva entre las manos. Parece un bloque.

Mejor, no tienes ninguna gana de enfrentarte a él. Quizá, sea la causa de que no haya habitantes, en la aldea. ¡Puede que sea un demonio!

Das la vuelta, por donde has venido, y te diriges al templo. Pero, sólo has recorrido unos

metros, cuando, de repente, el ser ¡aparece delante de ti! ¡Ha salido de la nada!

Paras en seco, y el ser te mira, directamente,
a la cara. Un grito espantoso surge de él.

– ¡Aaaaaaaaaaaaaaaaaaaaah!

El grito te asusta un montón. El ser oscuro
te ataca, con sus largos brazos. ¡Tienes que salir
de aquí! Escapas corriendo, por una calle lateral,
mientras los pesados pasos te persiguen. Corres
y corres, entre las casas, y subes la colina hacia la
entrada del templo.

Llegas al umbral, y los pasos siguen detrás
de ti. Así que, no te paras, entras en el patio principal del templo, y lo atraviesas. Un poco más
allá, te vuelves, y ves al oscuro monstruo en el
mismo umbral, quieto, mirándote.

Te mira, y grita, pero no entra. ¡No entra! Menos mal. No sabes porqué, pero no pasa de ahí.

El espantoso ser oscuro te persigue.

Como si no quisiera entrar, o como si hubiera una barrera invisible, que se lo impidiera. Esperas un poco, sin saber qué hará a continuación.

Entonces, el ser deja de gritar, y de repente, desaparece. Puf. Ya no está.

Perplejo, miras alrededor, pero estás solo. No se oye nada. Aliviado, le echas un vistazo al templo, con tranquilidad.

Pasa a la página 12

– ¡ABRACADABRA!, –gritas, hacia el dragón verde.

Los ojos brillan, si cabe, con más intensidad. Un fuerte zumbido empieza a escucharse, y de repente, ¡unos terribles rayos rojos, salen disparados desde los ojos del dragón!

Antes de que puedas apartarte, los rayos te golpean, directamente, en el pecho, y atraviesan tu armadura, como si no existiera.

Caes al suelo, de espaldas, y todo se vuelve oscuro.

Pasa a la página 87

– Muchas gracias, Capataz, pero no tengo ni diamante, ni ninguna otra gema valiosa, para ofrecerle. Volveré como vine, andando.

– Seguro que lo conseguirás, eres un valiente. Pero, ¿qué harás para pasar las noches? No es bueno quedarse a la intemperie, y sin una buena cama.

– En realidad, no tengo ninguna cama. Cuando se hace de noche, busco un refugio, o un árbol.

– ¡Un árbol! Qué barbaridad. No, hombre, eso no lo puedo consentir. Toma, esto es un regalo para ti.

El Capataz te da ¡una cama! La guardas en tu inventario.

– Cuando se haga de noche, excava un refugio, y pon tu cama nueva en él. Así, la noche pasará rápido, y dormirás, cómodamente.

– ¡Genial! Muchas gracias, señor Capataz.

– Espero volver a verte por aquí, cuando necesites algo de los enanos. Dale recuerdos al Anciano, por favor. ¡Buen viaje!

– ¡Adiós!

Caminas de vuelta al pasillo de los golems, con tu preciosa carga. Cuando te acercas, los Guardianes se apartan, sin preguntar. Recorres todo el pasillo, salto a salto, hasta los sótanos del Templo del Este, y subes las escaleras, hasta regresar al patio principal.

Pasa a la página 72

Decides continuar, a pesar de todo, y arriesgarte contra los monstruos. Vas bien equipado, así que, ¡que vengan, si se atreven! Probarán el filo de tu espada.

Lo malo, es que te adentras en las colinas, y están cubiertas de un bosque muy espeso. En poco tiempo, te resulta difícil ver por dónde vas, tanto por la falta de luz, como por la gran cantidad de árboles, que te tapan la visión.

Al cabo de corto rato, no ves nada de nada. Te das cuenta, de que si sigues caminando, chocarás con algún peligro, sin poder evitarlo.

Estás decidiendo, si no será mejor subir a un árbol, cuando escuchas ruidos inquietantes, a tu alrededor. Diversas criaturas se acercan, arrastrándose, o caminando. Observas con atención, pero no hay manera de ver nada.

Tienes la espalda pegada a un árbol, para que nada te sorprenda por la detrás, cuando oyes unos pasos, justo al otro lado del árbol. Te giras, pero no ves nada, y ¡de repente, justo delante de ti, una tremenda explosión!

El árbol salta en pedazos, la explosión te golpea con fuerza, y hasta se abre un enorme boquete, en el suelo. ¿¿¿¡¡¡Qué ha sido eso!!!??? Te preguntas, alarmado. A pesar de tu armadura, te ha hecho mucho daño.

Ha debido ser uno de esos monstruos que llaman creepers. Dicen que estallan, como una bomba, cuando se te acercan. Debió llegar justo por detrás del árbol, y estalló, sin que lo vieras.

Madre mía, como te vuelva a pasar, otra explosión así te mata. Ahora sí que lo tienes claro, necesitas refugiarte, para pasar el resto de la noche.

Por desgracia, la explosión ha hecho mucho ruido, y otro monstruo ha venido a investigar. Delante de ti, aparece un zombi, que avanza hacia ti, con sus manos levantadas.

No puedes salir corriendo, con el agujero justo a tu espalda, por lo que te enfrentas al zombi, y le golpeas con tu espalda. ¡Tienes que ganar este combate, como sea, antes de que lleguen más!

Atizas al zombi una, y otra vez, todo lo rápido que puedes. Él te devuelve algún golpe, pero tu armadura te protege de lo peor. No sabes cómo, pero acabas con el monstruo en pocos segundos, y lo ves derrumbarse al suelo.

A un lado, cae del zombi una pequeña bola verde. La recoges, y escuchas un curioso sonido, como de campanitas, muy suave. ¿De dónde habrá salido?

La bola verde ya no está. Tampoco se te ha caído al suelo. La acabas de guardar, pero ha desaparecido. Qué cosa más extraña.

Y, no es lo único extraño. Te fijas, que cuando ocurrió la explosión, el árbol y el suelo se rompieron en muchos bloques. Bloques que están por el suelo. Hay de madera, y de tierra. Los recoges, porque seguro que te sirven para algo.

Además, resulta que el árbol, ¡no se ha caído! Le falta la base del tronco, pero se sostiene en el aire, como si flotara. Ya te habías dado cuenta, antes, de que en Minecraft, la gravedad no funciona como en el mundo real. Qué cosa más graciosa.

"Un momento", piensas. "Si los bloques flotan en el aire, podría meterme en el hoyo de la explosión, poner los bloques sobre mí, y quedarme escondido, debajo, hasta que amanezca".

¡Menuda idea! Pero, debería funcionar. O, puedes buscar un árbol al que trepar.

Si eliges construirte un pequeño refugio, en el hoyo, pasa a la página 108

Si prefieres buscar un árbol, al que poder subirte, pasa a la página 111

– No, hombre –te corrige el anciano. – ¿Cómo van a faltar cinco lingotes? Hay que mejorar en cálculo, ¿eh? Verás, para las tres manzanas de oro, necesitamos un total de veinticuatro lingotes. Como ya tenemos dieciséis, sólo nos restaría conseguir ocho de ellos. Tendrás que ir a las minas a buscarlos, eso seguro.

Pasa a la página 54

Sacas el pico, y rápidamente, extraes algunos bloques de la pared. Según caen, los recoges, y los vuelves a colocar, pero en el pasillo, para que el creeper no pueda alcanzarte. Retrocedes un poco, y repites la operación, hasta asegurarte de bloquear el paso, por completo.

Listo. Ahora, no sólo no puede pasar, sino que tampoco estallará, porque está lejos, y no te ve.

Pones otra antorcha en la pared, y ya más tranquilo, piensas qué hacer a continuación. "Será cuestión", piensas, "de ponerme a buscar el oro." Cuando lo tengas, podrás cavar una nueva salida, y regresar a la superficie.

Manos a la obra, te alejas unos metros, escoges una pared, y comienzas a cavar. Intentas ir, más o menos, en línea recta, para no liarte. Y, hacia abajo, donde supones que estará el mineral. Cava que te cava, al principio no extraes más que tierra. Pero, al poco, encuentras tu primera veta de ¡carbón!

Bueno, no es lo que buscas, pero seguro que te servirá para algo. Lo guardas, y continúas.

En las horas siguientes, sin parar de cavar, extraes más carbón, y también hierro. Mucho carbón, y mucho hierro, pero nada de oro.

Pasa un buen rato, y comes unas cuantas veces. ¿Han sido cinco, o seis veces? No estás seguro. Como aquí abajo, no llega la luz del sol, acabas por no sabes cuántos días llevas cavando. Lo que sí sabes, es que tu pico se acabará rompiendo, de tanto usarlo. Quizá, necesites volver al pueblo, y conseguir otro, para poder terminar el trabajo. Mejor, dos picos, por si acaso.

Por fin, encuentras algo que no sea tierra o carbón, aunque tampoco es oro. Es piedra roja, un mineral curioso, pero que no sabes para qué sirve. Lo guardas, seguro que es útil.

Sigues cavando hacia adelante, y hacia abajo. Cada tantos metros, colocas una antorcha en la pared, y continúas extrayendo. Tienes tanto carbón, y tanto hierro, que podrías poner una tienda. Pero, ¿dónde está el dichoso…

– ¡Oro! ¡Esto es oro! –gritas, entusiasmado. ¡Por fin!

Encuentras un bloque de oro, a tus pies, al lado de tu posición. Menos mal, porque tu pico está casi, casi roto. Cavas alrededor, y encuentras otros dos bloques. Bajas un poco, y justo debajo de ti, hay otro más. Te dispones a extraerlo, cuando, de pronto, desaparece, y ¡caes al vacío!

¡Ay! Afortunadamente, la caída ha sido muy pequeña, apenas un par de bloques. Y, es que, alguien ha cavado debajo de ti, y ahora lo tienes a tu lado, con su pico en la mano.

Es una especie de aldeano, pero más bajito. Viste ropas extrañas. Pero, igual que los aldeanos, no te hace ni caso. Se da la vuelta, y sigue con lo que estaba haciendo: picar la pared.

– ¡Eh, oye, que ese oro es mío!, –le gritas.

Pero, el minero te ignora. Como si no existieras. Así que, echas un vistazo alrededor.

Estás en el túnel de una mina, eso seguro. Pero, a diferencia de tus túneles, que son irregulares, y aparte de antorchas, no tienen nada más, este túnel es una obra de arte.

Está excavado con precisión. Las antorchas están colocadas, exactamente, a la misma distancia, unas de otras. Además, unos raíles recorren el suelo, de un extremo a otro. Cerca de ti, una vagoneta espera a que la llenen.

Mientras observas, el minero que tienes cerca, se aproxima a la vagoneta, la llena de minerales, y empieza a empujarla por el túnel.

Bueno, está claro, que lleva la vagoneta a algún sitio. Quizá, la lleve a su ciudad subterránea. Y, tal vez, allí encuentres alguien a quien comprar el oro.

Estos túneles están muy bien diseñados.

De manera, que sigues al minero, a lo largo del túnel. A los lados, de vez en cuando, ves otros túneles más pequeños, en los que hay más enanos, excavando. Unos entran, y otros salen llevando herramientas, o empujando vagonetas de mineral. La actividad es incesante, y todo parece muy bien organizado.

Finalmente, llegáis a una gran sala central, llena de luz y de actividad.

Pasa a la página 76

Meditas un momento, y respondes:

– Creo que tu idea es buena, Anciano. Partiré, cuanto antes, a las Minas Profundas.

– Una decisión sensata –añade el Anciano. – Ven conmigo, te daré todo lo que necesitas. Tengo mucho material, repartido por distintos cofres.

El Anciano, y tú, salís del sótano donde encontraste la Esfera Dorada, y recorréis varias salas. En ellas, abre distintos cofres, y va cogiendo de ellos materiales y herramientas.

– Aquí tienes toda esta comida. Hay manzanas, zanahorias, chuletas, y muchas más cosas. Tienes, de sobra, para conseguir el oro, y algo más, para ti. Así, no te faltará qué comer, por el camino.

– Muchas gracias.

– Espera, espera, que hay más. Ten, esto es un juego completo de combate. Me gustaría poder proporcionarte una armadura de hierro, pero ahora, no tengo ninguna. Tendrás que conformarte con una de cuero. Te ayudará a sobrevivir a los peligros del viaje.

Te pones la armadura, y compruebas que se te ajusta muy bien.

– Esta espada, en cambio, sí es de hierro puro. Es nuevecita, la vas a estrenar tú –dice, mientras te alcanza la brillante hoja.

– ¡Hala, cómo mola! –exclamas al verla.

¡Ya tienes tu propia espada, y de hierro, nada menos! "Es fantástica", piensas, mientras la blandes y golpes el aire, a izquierda y derecha.

– ¡Oye, cuidado, que me vas a dar! ¡Que eso corta! Mejor guárdala, anda. Ya tendrás tiempo de usarla, te lo aseguro.

Nueva equipación, ¡y una fantástica espada de hierro!

Guardas la espada, mientras el Anciano se acerca a otro cofre, y saca varias herramientas.

– Llévate este pico de hierro, y esta pala de piedra. Si encuentras algo que merezca la pena llevarte, como oro, o hierro, usa mejor el pico. La pala está algo usada, pero podrás gastarla para abrirte paso, por materiales que no te interese conservar, como grava, tierra o arena. Es más rápida que el pico.

– Genial, muchas gracias, Anciano.

– Llévate, también, algunas antorchas. Pon una de estas, en una pared, cuando necesites luz. Sin luz, las cuevas pueden ser mortíferas. ¡Los monstruos pueden ver en la oscuridad!

Lo guardas todo, con el resto del equipo.

– Y, para terminar, el mapa. Indica dónde está el Templo del Este, que tienes que buscar.

El templo está, justo, sobre la mina del Capataz Enano. Una vez dentro, tendrás que encontrar la escalera que baja a las Minas Profundas, y descender hasta la Puerta de Piedra Roja. Dile a los Guardianes de Piedra que vas de mi parte, y seguro que te dejan pasar. Luego, una vez dentro, busca al Capataz Enano.

– ¿Cómo es el Capataz Enano? –preguntas.

– Busca un aldeano bajito, que viste con ropas chillonas, y que lleva un bastón de oro en la mano. Casi siempre está en la Gran Cueva de los Enanos. Seguro que le reconocerás.

Bueno, si el Anciano asegura que es fácil, seguro que le encuentras.

– Sólo una última cosa. No te entretengas, por el camino. Tienes un buen equipo, y comida de sobra. Puedes sobrevivir durante meses, ahí fuera. Pero, recuerda que no eres de este mundo. Si pasas mucho tiempo aquí, irás olvidando tu vida en el mundo real. Al final, no querrás volver, te quedarás… para siempre.

"No permitiré que ocurra", piensas, decidido.

– Así que, repito: no te entretengas. Encontrarás mil peligros, y también montones de cosas fascinantes. Si te dedicas a ellas, te perderás. Céntrate en tu misión, trae el oro cuanto antes, y podrás volver a casa, con tu familia.

Asientes, decidido, y sales con él, al exterior. El Anciano te acompaña hasta el límite de la aldea, donde terminan los campos de cultivos.

– Aquí empieza tu misión, joven. El templo está hacia allí –dice señalando el horizonte, hacia el este. –Que el Gran Programador guíe tus pasos.

– ¿Quién?

47

– Ah, no importa. Buen viaje, y buena suerte.

El extraño sol cuadrado, de este mundo, sigue su camino por el cielo, hacia el oeste. Pero, tú te encaras hacia los bosques y colinas, que se extienden entre ti, y el Templo del Este. Miras el mapa, y observas, que tienes tres posibles caminos.

Puedes ir por la orilla del lago, donde el terreno es más llano, y hay menos plantas y obstáculos, aunque darás más rodeo.

O, podrías dirigirte en línea recta, a través de las colinas, cubiertas de bosques espesos. Habrá muchos más obstáculos, pero también será más directo.

Por último, tienes la opción de bordear las montañas, hacia el sureste. Es un camino más largo, y también más abrupto, pero en esa zona, hay minas. Quizá, si tienes suerte, encuentres una mina de oro, y no te haga falta ir a ver al Capataz Enano. Si consigues suficiente oro, no tendrás que comprarlo.

Si prefieres viajar por la orilla del lago, pasa a la página 63

Si eliges ir por las colinas boscosas, pasa a la página 105

Si decides recorrer las laderas de las montañas, por si vieras alguna mina, pasa a la página 121

No vuelves a oír la voz, pero los golems empiezan a moverse. Con un ruido extraño, como de grandes piedras desplazándose, el gólem de la derecha retrocede un poco, y luego, se pone justo detrás de su compañero. Así, deja libre la mitad del pasillo.

Te fijas, que detrás de esta pareja de golems, hay otra pareja. Y, al fondo, todavía más. ¡Hay un montón de golems! Cada pocos metros, hay más fosos, con más golems, siempre en pareja. Intentar pasar luchando, contra este ejército de monstruos de piedra, sería una locura. Quien construyó este acceso, ¡debe ser muy poderoso!

Pasa a la página 11

– ¡MINECRAFT!, –gritas, hacia el dragón verde.

Los ojos brillan, si cabe, con más intensidad. Un fuerte zumbido empieza a escucharse, y de repente, ¡unos terribles rayos rojos, salen disparados desde los ojos del dragón!

Antes de que puedas apartarte, los rayos te golpean, directamente, en el pecho, y atraviesan tu armadura, como si no existiera.

Caes al suelo, de espaldas, y todo se vuelve oscuro.

Pasa a la página 87

Te parece que bajar, es demasiado peligroso. Puede que no haya nada interesante, y luego tendrías que volver a subir. Y, además, el Anciano te dijo que no te entretuvieras.

Así que, das un amplio rodeo a la hondonada, para evitar caerte en ella, sin querer, y retomas el viaje hacia el este.

Pasa a la página 93

Quizá una buena lluvia de espadazos, te permita derrotar al creeper, con presteza. ¡A por él!

Te lanzas sobre el monstruo, y le golpeas tan rápido como puedes. Le alcanzas con un golpe, luego otro, y después un tercero, pero de repente, ¡BUM!

El ser estalla, con un fuerte sonido, y sientes un golpe tremendo. Todo se vuelve oscuro, alrededor, y caes al suelo, en medio del destrozo.

Pasa a la página 87

– Está bien –le dices. –Buscaré una mina, y extraeré el oro que necesitamos. Pero, no tengo herramientas.

– Yo puedo prestártelas. Te daré pico y pala, para que puedas extraer el oro.

El anciano se queda pensativo, un momento, y añade:

– ¡Espera un poco! Ese no es mi plan. Creo que sería más sencillo, y menos peligroso, que le compraras el oro al Capataz Enano, en las Minas Profundas. Él y sus hombres excavan la tierra, sacan todo tipo de minerales, y los usan en construcciones. O, los cambian por otras cosas que necesitan. Comida, por ejemplo. ¡Siempre agradecen un buen cargamento de comida! Tú podrías llevársela, y ellos te darán el oro que precisamos. ¿Qué te parece?

– O, podrías prestarme tus herramientas, y yo mismo buscaría el oro –le respondes.

– Sí, eso es otra opción, aunque mucho más arriesgada. Ocho lingotes son muchos lingotes, ¿sabes? Pero, bueno, tú decides.

Si quieres llevarle la comida al Capataz Enano, pasa a la página 42

Si prefieres encontrar, tú mismo, el oro, pasa a la página 114

Te aproximas a las grandes puertas, y empujas una de ellas, hacia dentro. Se abren con facilidad, y te asomas al interior, que está iluminado.

Parece una gran sala cuadrada, cubierta, con antorchas en las paredes. En el centro, hay una plataforma, con escalones, y un altar.

Pero, lo que más te llama la atención, son los dos esqueletos negros que hay, uno a cada lado de la puerta. Parecen estatuas de esqueletos, con armadura completa, y grandes espadas brillantes.

Al menos, esperas que sean estatuas. Porque, como sean monstruos, vas a tener que salir corriendo, otra vez. No estás seguro, de si te miran, o no te miran. ¿Te lo estarás imaginando?

Avanzas despacio, hacia el altar, y compruebas que las estatuas ¡se giran hacia ti! No son estatuas, son esqueletos de verdad, oscuros, armados y acorazados. Te paras en seco, pero ellos no avanzan. Sólo te observan. ¿A qué estarán esperando?

Miras a tu alrededor, sin moverte, y compruebas que no hay escaleras, ni pozos, ni otras puertas, en la sala. Lo que estás buscando, no se halla aquí. Y, no tienes ninguna gana de hacer algo que provoque a los guardianes.

Despacito, sin hacer ruido, retrocedes a la puerta, sales, y la cierras, tras de ti. Uf, todo ha ido bien. Y, ahora, hay que elegir por dónde seguir.

Si entras en el umbral de la izquierda, pasa a la página 141

Si entras en el umbral de la derecha, pasa a la página 91

Parece, que no recuerdas tu viaje con exactitud. No encontraste ningún granate, en tu viaje.

Así que, no tienes ninguna gema valiosa, con la que pagar al Capataz, para que te deje usar su Máquina de Teletransporte.

Pasa a la página 29

– ¡LA PALABRA MÁGICA!, –gritas, hacia el dragón verde.

Los ojos del dragón, que estaban brillando, dejan de hacerlo, y se apagan. De su boca, aunque nada se mueve, surgen estas palabras:

– ¡CORRECTO! Aquí tienes, amo.

¡Estupendo! Has resuelto el acertijo. Sólo había que seguir las instrucciones del dragón, y decir lo que te pedía decir.

En ese momento, un bloque verde, reluciente, precioso, cae el suelo, desde su boca.

Te acercas, lo recoges, y descubres que es ¡un bloque de esmeralda! Guaaaaaaaaaaaaaaaaaaau, la esmeralda es una piedra preciosa, de gran valor. Vale, casi tanto como el diamante, crees recordar. Y, ¡es impresionante!

No sabes si sirve para fabricar armas y armaduras, como el diamante, pero desde luego, es muy valiosa.

Encantado con tu adquisición, se te ocurre, que quizá el dragón tenga más esmeraldas. ¿Por qué no probar?

Te giras, de nuevo, hacia la talla, y repites la fórmula

– "¡LA PALABRA MÁGICA!"

Sin embargo, la estatua no reacciona, de ninguna manera. Te acercas a ella, y la observas, más de cerca, con la esperanza de encontrar alguna puerta, palanca, botón, o mecanismo, para volver a activarla. Pero, es en vano. No descubres nada más.

"¿Qué hará que se active, de nuevo?", te preguntas. Pero, sea lo que sea, no te puedes quedar, a averiguarlo. Ya te has entretenido bastante.

Así que, es hora de trepar la escarpa, salir de aquí, y continuar tu camino. ¡Y, tan contento con tu tesoro!

Pasa a la página 7

Te lanzas corriendo hacia la entrada, con la esperanza de que el creeper esté mirando en otra dirección, y no se dé cuenta de que vuelves.

Entras en la cueva, a toda velocidad. Despejado, no hay nadie. Sigues adelante, y te acercas, ya con más cuidado, a la entrada del túnel, del que salió el creeper. Nadie. Bien.

La mina está a tu disposición, y podrías ponerte a cavar. Pero, te das cuenta, de que si no tomas precauciones, el creeper podría regresar. Y, mientras estás distraído picando, atacarte por sorpresa. Y, ¡bum!

Tienes que asegurarte de que eso no pase. Y, la mejor manera, es bloquear el túnel con tierra.

Pasa a la página 36

Inicias tu camino con alegría, mientras observas las orillas del lago, conforme te acercas a él. Alrededor de las tranquilas aguas azules, ves diversas plantas, y animales correteando.

Desde la misma orilla, observas, dentro del agua, unos extraños animales alargados. Parecen calamares, o algo así. Te quedarías investigando, pero recuerdas el consejo del Anciano, y continúas tu camino.

Después de un buen rato de caminar hacia el este, te das cuenta de que, cada vez, hay menos luz. ¿Se está poniendo el sol? Te giras para comprobarlo, y efectivamente, el sol está cerca del ocaso. En poco rato, se hará de noche.

Ahora que te das cuenta, no habías previsto qué hacer, por las noches. No tienes casa o refugio, y tampoco manera de iluminarte, aparte de las antorchas. Si no encuentras una solución, ¡estarás a merced de los monstruos! ¿Qué puedes hacer? ¿Arriesgarte a seguir viajando, de noche, y confiar en que vas bien armado, para defenderte? ¿O, quizá, buscar un árbol bien alto, subir a la copa, y esperar que vuelva a salir el sol?

Ir esquivando monstruos, sin ver ni un pimiento, parece una locura. Pero, pasar toda la noche despierto, subido en un árbol, tampoco te apetece nada.

Si decides arriesgarte a viajar, pasa a la página 129

Si eliges subir a un árbol, pasa a la página 83

Comienzas a bajar, poco a poco, y con cuidado, la profunda hondonada. Es muy vertical, y apenas puedes aprovechar algunos huecos, para no tener que saltar de bloque en bloque.

Entonces, te paras a pensar un momento. Pero, ¡si tienes herramientas! Tienes un pico, y una pala, para poder bajar sin peligro. Si cavas, justo, debajo de ti, y vas eliminando bloques, deberías poder bajar sin ningún riesgo. Casi, como en un ascensor que baja.

Sacas la pala, y te pones a la tarea. Al principio, te cuesta un poquito, pero conforme vas practicando, cada vez consigues hacerlo más deprisa.

Con esta técnica, logras bajar hasta el fondo, sin hacerte ni un rasguño. ¡Qué gran idea ha sido! Y, entonces, ves lo que has ido a buscar.

Una de las paredes parece haber sido tallada. La roca tiene forma, dirías que es... ¡la cabeza de un dragón! Es una enorme cabeza de dra-

El dragón verde está tallado en la roca.

gón verde, tallada en bloques de roca. Un verde muy intenso, casi brillante. Y, tiene los ojos rojos, enormes, que miran fijamente delante de él. Es imponente.

¿Será, también, peligrosa?

Pasa a la página 127

Esas arañitas no podrán conmigo, piensas, mientras te encaras con ellas. Le atizas a una, y tratas de hacerle lo mismo que al zombi. La araña te golpea, pero tu armadura te protege, una vez más. Sin embargo, parece que recibes más golpes. ¡La otra araña te ha rodeado, y te ataca por la espalda! Eso te pone algo nervioso, así que maniobras, para quitártela de encima.

¡Augh! Sin querer, chocas contra el dichoso cactus de antes. ¡Será posible! Mientras maniobras, las arañas siguen golpeándote, y aunque no consiguen hacerte daño, golpe tras golpe van dañando tu armadura.

Compruebas, aterrado, que se acercan más enemigos. Con un golpe más, logras acabar con una de las arañas, pero tu armadura se cae a pedazos, y estás a punto de ser rodeado, de nuevo. ¡Es hora de largarse de aquí!

¡Las arañas te atacan a la vez!

Sales disparado, y confías en que la araña no corra más que tú. Los monstruos te persiguen, oyes como corretean, a tu espalda. Además, no ves ni un pimiento, pero parece que consigues alejarte. Por desgracia, en los alrededores hay más monstruos, así que no tienes un momento de respiro, y continúas corriendo por el campo, mientras los esquivas.

Vas tan deprisa, que no ves, a tiempo, una enorme grieta del suelo, y caes por ella, sin poder evitarlo.

Caes, caes, y sigues cayendo, hasta impactar, dolorosamente, contra el suelo.

Pasa a la página 87

Rápidamente, recoges la bola verde y el otro objeto, que soltó el zombi al caer, y te alejas a toda velocidad.

Qué curioso, cuando recoges la bola verde, oyes un sonido como de campanitas. Parece que salió de la bola. ¿Qué será eso?

Observas el otro objeto, y resulta que es comida podrida. ¡Puaj, qué asco! La tiras bien lejos, y te frotas las manos en la armadura. Los zombis son algo asqueroso.

Vas a mirar la bola verde, para ver qué es, y resulta, que ya no está. Tampoco se te ha caído al suelo. La acabas de guardar, pero ha desaparecido. Qué cosa más extraña.

Pasa a la página 90

Cuando sales al exterior, descubres que vuelve a ser de día. Te diriges a la puerta, y encaminas tus pasos, a través de las colinas, de vuelta a la aldea del Anciano.

Después de tus aventuras, viniendo a por el oro, ya sabes cómo actuar para superar los peligros del camino. No te asustan los monstruos, ni te preocupa no tener dónde dormir. Y, como ya conoces el camino, lo recorres con paso firme y rápido, de regreso a la aldea.

Desde luego, la aldea sigue estando lejos, por lo que te ves obligado a pasar una noche, fuera. Pero, ahora sabes cómo hacer un refugio, y encima, tienes una estupenda cama enana. La noche pasa, agradablemente.

El viaje de regreso se te hace mucho más corto que el de ida. Antes de que te des cuenta, sales del bosque, y ves los campos y las granjas, a lo lejos.

Recorres la llanura cercana al pueblo, pasas después, entre cultivos y acequias, y finalmente, te internas por las calles. Mientras, buscas, con la vista, la casa del Anciano.

Pasa a la página 156

Oyes los pasos de los monstruos, a tu espalda, mientras te persiguen, pero no logran alcanzarte. Lo malo es, que hay muchos más seres peligrosos, por los alrededores, de manera que no puedes pararte a descansar. Si lo haces, podrían volver a rodearte, y es algo que no te apetece repetir.

De manera, que sigues corriendo, y esquivando peligros, hasta que ¡tienes que frenar, de golpe! En el suelo, justo delante, hay una enorme grieta. ¡Has parado justo a tiempo!

Te asomas con cuidado, y compruebas que es muy profunda. Si no te hubieses parado, la caída habría sido mortal.

"¿Cómo será caerse de tan alto, en este mundo?", piensas. Seguro que duele, así que, mejor no comprobarlo. Además, cuando juegas con el personaje de un videojuego, y le matan, a ti no te pasa nada. Sólo vuelves a empezar. Pero, ahora que TÚ eres el personaje, ¿qué ocurrirá?

No tienes tiempo, de seguir con tus pensamientos. A tu alrededor, empiezan a acercarse, de nuevo, sonidos amenazadores. Es hora de continuar.

Pero, la grieta está en medio de tu camino. Habrá que rodearla, o quizá, sea buena idea esconderse en ella. Al menos, hasta que amanezca.

Si giras hacia el oeste, para rodear la grieta, pasa a la página 90

Si decides descender con cuidado, y esconderte en ella, pasa a la página 102

No, la sala no es grande. ¡Es enorme! Caramba, es más grande que el templo de la superficie. ¡Es gigantesca!

Observas una caverna, altísima, de la que salen múltiples pasillos, en todas direcciones, y desde varias alturas. Varias escaleras recorren las paredes, y hay todo tipo de pasarelas, que cruzan de un lado a otro. El suelo está surcado por muchas vías, como de tren.

Ocupados en distintas tareas, ves muchos aldeanos. Pero, son distintos de los que conoces. Son más bajos, visten ropas extrañas, y llevan picos y palas. Caminan por todo el área, llevando a cabo distintas tareas de excavación. ¡Son enanos mineros!

A lo largo de las paredes, ves varios golems, quietos, vigilando posibles intrusos, supones. Todo está iluminado, con muchas antorchas.

Cada poco rato, algún enano entra en la caverna, empujando una vagoneta, a lo largo de una de las vías. Entonces, se acerca a otro enano, y le entrega el material que transporta, antes de volver a los túneles.

Te quedas quieto, unos minutos, admirando esta especie de hormiguero. Y, entonces, te das cuenta de que hay un enano diferente, justo en el centro de la gran sala.

Como te dijo el Anciano, viste con ropas chillonas, y lleva un bastón de oro en la mano. Tiene un cierto aire de mando. ¡El Capataz Enano!

Atraviesas la gran caverna, admirando todos sus detalles, y esquivando enanos y vagonetas. Te acercas al Capataz, y cuando estás cerca, él se gira hacia ti, y te habla.

– ¡Caramba, un humano! Un aventurero, si no me equivoco. Dime, humano, a qué vienes a las Minas Profundas.

– Buenos días, señor Capataz –le respondes. – Vengo de parte del Anciano.

– Ah, el Anciano. Bienvenido, entonces. El Anciano y yo somos viejos amigos. Dime, qué te trae por aquí.

– Bueno, pues querría compraros algo de oro.

– ¡Oro! Muy bien, tenemos oro para venderte. Sí, seguro, podríamos venderte algo de oro. Pero, ¿a cambio de qué? ¿Qué tienes tú para ofrecer a los enanos, muchacho?

– Pues, el Anciano me dijo, que a ustedes les vendría bien algo de comida. Traigo mucha comida, para cambiarla por el oro.

– ¡Comida, estupendo! ¿Traes faisán, marisco, delicias orientales, y fruta tropical?

Te quedas sin palabras. No traes nada de eso. ¡El Anciano no te dijo que el Capataz te pediría ese tipo de comida!

– ¡Aaaaaaah, jajajajajajajajaja! –el Capataz Enano se desternilla de risa. – ¡Muchacho, deberías ver tu cara! ¡Jajajajajajajaja! ¡Estaba bromeando!

El Capataz se retuerce como loco, y parece llorar de risa. Te quedas mirándole, sin saber qué decir.

– No, no te preocupes, no necesitamos nada de eso, aunque pudieras conseguirlo. Seguro, que la comida que traes es mejor que buena, jajajaja.

– Menos mal –respondes, aliviado. ¡Menudo bromista! –Necesito volver con ocho lingotes de oro. ¿Cuánta comida me pides?

– Déjame ver la que traes. –el Capataz se te acerca, y le echa un vistazo a tu inventario. –Cogeré un poco de esto, algo de esto, bastante de esto… y, esto. Sí, eso es. Suficiente. ¡Estupendo! Esta comida nos viene muy bien, sí, señor. Muchas gracias. Aquí tienes tu hierro.

– Muchas gra... ¿Hierro? No, no, no necesito hierro, ¡lo que necesito es oro! –le respondes, alarmado.

– ¿Estás seguro? Me dijiste que necesitabas hierro.

– ¡Qué va! ¡Necesito oro!

– Quizá te pueda dar algunos diamantes. ¿Qué te parece?

Miras al Capataz con cara seria.

– Jajajajajajaja, ¡oro, oro, por supuesto! ¡Estaba bromeando! Claro que me dijiste oro, lo recuerdo muy bien. Aquí está, ya tienes un total de ocho de oro. Jejejejejeje.

Compruebas que, efectivamente, el Capataz te ha entregado oro, y que tienes ocho. Bien, lo tienes. Y, te ha sobrado bastante comida. El Anciano te dio un montón.

– ¡Misión cumplida! – dices, contento. –Ahora, a volver a casa.

– Enhorabuena, muchacho, enhorabuena. Mira, a lo mejor puedo ayudarte, con tu regreso. ¿Te gustaría volver, instantáneamente?

Con lo bromista que es el Capataz, no estás seguro de que, ahora, esté hablando en serio. Pero, por si acaso, le dices que sí.

– Bueno, pues podría usar mi Máquina de Teletransporte, y dejarte en casa, en un segundo. Eso sí, usarla no es barato. Te costará un bloque de diamante, o de otra gema valiosa.

¡Guau, un bloque de diamante! Si no es una broma, es carísimo. Además, ¿de dónde vas a sacar un bloque de diamante, si nunca has visto ninguno?

Eso sí, si pudieras pagarle, te ahorrarías todo el viaje de vuelta, y todos los peligros. Quizá, hayas encontrado un bloque de algo valioso, en el camino hacia aquí. ¿Lo recuerdas?

Si no encontraste ninguna gema valiosa, pasa a la página 29

Si crees recordar, que encontraste un rubí, pasa a la página 155

Si crees recordar, que hallaste un granate, pasa a la página 58

Si crees recordar, que descubriste una esmeralda, pasa a la página 96

Desde luego, no te apetece nada pasar la noche correteando, sin ver nada, y con un montón de monstruos alrededor, acechándote. Así que, buscas un buen árbol al que subirte. Hay varios cerca, pero ahora que lo piensas, ¿cómo vas a subir?

Vaya. No se puede trepar por ellos, sin más. Las hojas y las ramas te lo impiden. No es como en el mundo real, estas son más densas.

Mientras el sol se pone, y la noche cae, recuerdas que hay algunos árboles que tienen enredaderas, pegadas a sus troncos. ¡Eso es! Por las enredaderas, sí que se puede trepar. ¿Dónde hay uno de esos árboles, rápido?

Recorres la zona, cada vez con más urgencia. A tu alrededor, escuchas sonidos amenazadores, y ves sombras que acechan, por todas partes. Unos ojos rojos te observan, y el sonido de algo que se arrastra, se va acercando a ti. Entonces, encuentras ¡por fin!, el árbol que buscas, con enredaderas pegadas.

Antes de que te atrape alguna cosa con dientes, subes hasta la copa del árbol. Bien arriba. Miras hacia abajo y, aunque no distingues mucho, puedes entrever las sombras de varios monstruos, esperando que bajes.

"Nooooooooooo", piensas. "Esta noche, no. Va a ser larga y aburrida, pero ya vendrá de nuevo el día."

Y, durante toda la noche, esperas allí subido.

Algunas horas después, hacia el este, entrevés que el sol comienza a salir, de nuevo. Poco a poco, la zona se va iluminando. Ahora, puedes distinguir, al pie del árbol, arañas, zombis, creepers, y alguna otra cosa, que ni sabes lo que es.

Todos los zombis y esqueletos estallan en llamas.

Todos los zombis y esqueletos estallan en llamas.

Y, entonces, ocurre algo que no esperabas. Cuando el sol les ilumina, varios de los monstruos ¡comienzan a arder! Los zombis y esqueletos arden, y arden, hasta consumirse por completo. Las arañas dejan de prestarte atención, y sabes que, de día, no atacan, si tú no las golpeas primero.

Bajas del árbol, revisas tu mapa, y continúas tu camino.

Pasa a la página 93

¿Qué ha pasado? Todo se puso oscuro, y de repente, estás en otro lugar.

Esto es una sala, y te resulta familiar. ¿Dónde has ido a parar?

Giras, sobre ti mismo, y observas la estancia. Entonces, el Anciano entra por una puerta. ¡El Anciano! ¿Qué hace aquí?

– ¡Anda! ¿Qué haces aquí? Ah, ya veo. ¿Has tenido problemas, verdad? ¿Has encontrado algún peligro, o tal vez, un monstruo peligroso?

– Sí. ¿Dónde estamos?

– Estamos en mi casa, en la aldea. Sea lo que sea, lo que te ha pasado, te ha dejado fuera de combate. Y, cuando un peligro te "mata", digamos, pues, vuelves a tu casa. Bueno, como no tienes casa, supongo que vuelves a la mía, el primer sitio que visitaste, en Minecraft.

– Menos mal. Pero, ¿ahora qué hago?

– Pues, ¿qué vas a hacer? ¡Volver a intentarlo! Tu misión es demasiado importante, como para que la olvides. Necesitamos ese oro, para reactivar la Esfera.

– Tienes razón, Anciano.

– Claro. Bien, no te preocupes. Voy a reponer el equipo que se te haya gastado o dañado, y podrás ponerte en marcha, de nuevo, en seguida.

– Muchas gracias. Creí que este mundo no sería tan peligroso.

– Lo es, lo es. ¡Ya lo creo que lo es! Has de tener más cuidado. Pero, seguro que has aprendido mucho, de tu reciente experiencia. ¿Verdad? Esta vez, lo conseguirás. ¡Vamos allá!

UN NUEVO MUNDO

Sacas de nuevo tu mapa, y revisas el camino a tomar, como la primera vez. Tienes las mismas tres opciones. ¡Quizá, prefieras ir por un camino distinto, en esta ocasión!

Si prefieres viajar por la orilla del lago, pasa a la página 63

Si eliges ir por las colinas boscosas, pasa a la página 105

Si decides recorrer las laderas de las montañas, por si vieras alguna mina, pasa a la página 121

El resto de la noche es igual de peligrosa. Los monstruos rondan por doquier, y te ves obligado a moverte sin parar, de un lado para otro, tratando de evitar que te alcancen. Quizá debiste buscar refugio, pero ahora, ya no tienes tiempo, y tampoco ves, lo suficientemente, bien.

En algunos momentos, llegas a creer que te has perdido. Pero, por fortuna, recuerdas que el mar, está siempre a tu izquierda, hacia el norte. Y, tu camino discurre hacia el este.

La noche se te hace muy larga, pero al final, el sol comienza a despuntar, justo frente a ti. Su luz va iluminando toda la zona, los monstruos desaparecen, y tú puedes seguir tu camino, con más tranquilidad.

Pasa a la página 93

Entras en una sala mediana, con una mesa y bancos. También hay una alfombra, y una maceta, con unas extrañas flores rojas. Está iluminada con varias antorchas, en las paredes.

Pero, lo más importante de todo, es que hay unas escaleras, que suben. Mmm, no parece lo que necesitas. Lo normal, es que la entrada a las minas, estén abajo. De todas maneras, ya que estás aquí, decides explorarlas.

Te aproximas, y subes, con precaución. Al final de las escaleras, hay una puerta. La abres, y sales a la azotea del templo. Está vacía, no hay ni adornos, ni plantas, ni nada.

Eso sí, desde aquí, tienes unas vistas preciosas, de los alrededores. Las colinas, el bosque, y la aldea cercana, se ven, perfectamente.

Pero, desde luego, no es lo que necesitas. Y, como no hay más escaleras, decides volver a la sala inferior, y probar en alguna de las otras habitaciones.

¡En una de ellas, tienen que estar las escaleras de bajada!

Si abres las grandes puertas, pasa a la página 56

Si entras en el umbral de la izquierda, pasa a la página 141

Prosigues, ahora, sin sobresaltos, de manera, que puedes dedicarte a disfrutar del paisaje. La zona que recorres tiene muchas colinas, pobladas de distintos tipos de árboles. Numerosas plantas y animales viven por todo el lugar, pero no ves casas, ni signo alguno de aldeanos o aventureros.

Mientras caminas, comes algo de lo que te dio el Anciano, y piensas, si no serás el primer explorador que descubre estos parajes.

Y, de repente, ese pensamiento choca con la realidad. Subes una larga pendiente, y desde la cima, a los lejos, sobre una gran colina, oteas el gran Templo del Este.

Es un hermoso, alargado y enorme edificio de piedra, con altos muros y esbeltas columnas, en medio del bosque. "¡Guaaaau!", piensas. Nunca habías visto nada tan chulo. ¿Quién lo habrá construido? ¿Cómo habrán traído tanta piedra, hasta el centro del bosque? ¿Habrán tardado mucho, en levantar el templo? Y, ¿dónde están ahora?

Quizá haya un poblado, por los alrededores, que no has visto, aún. Una aldea misteriosa, llena de salvajes vestidos con plumas de aves.

Bueno, está claro, que tienes que acercarte, para averiguarlo. Así que, te pones de nuevo, en marcha. Subes y bajas un par de colinas más, llenas de árboles, hasta que estás bien cerca del templo. Lo rodeas un poco, para buscar la entrada, mientras admiras lo bien hecho que está.

Desde luego, quien lo construyó, hizo un trabajo impresionante. Hileras, hileras, y más hileras de piedra, hasta una altura enorme.

"Algún día", piensas, "yo también construiré un edificio tan impresionante como este. Un templo, o una catedral, o quizá un castillo. Un castillo con unas torres inmensas, que se levanten cientos de metros sobre el suelo."

UN NUEVO MUNDO

Finalmente, encuentras la que debe ser la entrada principal, y te aproximas. No hay puerta, sólo un umbral vacío. Sin embargo, cuando estás a punto de entrar, ves algo, al otro lado de la colina, que te llama la atención.

Hay una aldea, al pie de la colina del templo. Como una docena de casas de piedra, de construcción parecida a la del templo. Pero, no parece estar habitada, no hay ningún aldeano a la vista.

Puede, que merezca la pena, echar un vistazo rápido, a esas casas. Aunque, si están abandonadas, quizá no encuentres nada útil.

En cualquier caso, tiene que ser un vistazo rápido. El sol avanza por el cielo, y se hace de noche.

Si vas a investigar el pueblo, pasa a la página 24

Si decides no perder tiempo, y entrar ya en el templo, pasa a la página 12

Efectivamente, el dragón verde, te entregó una valiosa esmeralda. Y, mira por dónde, ahora te va a venir muy bien. La extraes de tu mochila, y se la enseñas, orgulloso, al Capataz Enano.

– ¿Se refiere a esto? –le dices.

La preciosa esmeralda, refulge con centellas verdes, en tu mano.

– ¡Qué preciosidad! –exclama el Capataz. –Eso servirá, perfectamente.

Coge la esmeralda, y se dirige hacia una pared cercana.

– Sígueme. Estarás en casa, en un periquete. Colócate en esa vagoneta.

Te subes a una vagoneta, que no tiene raíles. Está en el aire, como flotando. El Capataz acerca el bastón a un interruptor cercano.

– ¿Estás preparado? Bien. Espero volver a verte por aquí, cuando necesites algo de los enanos. Dale recuerdos al Anciano, por favor. ¡Adiós!

El Capataz activa el interruptor, con su bastón, y una luz cegadora te envuelve. Oyes un zumbido, y de repente, no puedes ver nada de nada. Cuando consigues aclarar tu vista, descubres que ya no estás en la caverna enana.

¡Estás justo a la entrada de la aldea!

Pasa a la página 156

No vuelves a oír la voz, pero los golems empiezan a moverse. Con un ruido extraño, como de grandes piedras desplazándose, el gólem de la derecha retrocede un poco, y luego, se pone justo detrás de su compañero. Así, deja libre la mitad del pasillo.

Te fijas, que detrás de esta pareja de golems, hay otra pareja. Y, al fondo, todavía más. ¡Hay un montón de golems! Cada pocos metros, hay más fosos, con más golems, siempre en pareja. Intentar pasar luchando, contra este ejército de monstruos de piedra, sería una locura. Quien construyó este acceso, ¡debe ser muy poderoso!

Pasa a la página 11

Como la cueva es amplia, consigues rodear al creeper, y sales disparado por el túnel. Te alejas con rapidez, pero igual de rápido, dejas de ver nada. ¡Claro, aquí no hay luz! Te vas a matar, si sigues corriendo así.

De manera, que sacas una antorcha, y la clavas en la pared. Entonces, puedes ver que el creeper te sigue, aunque aún le llevas algo de ventaja.

¿Qué hacer? Tienes que quitártelo de encima, como sea. Quizá puedas despistarle por los túneles, pero el problema es, que no ves por dónde vas.

Pero, ¡si tienes herramientas! Tienes un pico, y una pala. Puedes sacar tierra, de cualquier pared, y ponerla en el túnel, para bloquearle el paso. Si eres rápido, lo lograrás, antes de que el creeper se te eche encima, y explote.

El creeper te persigue por el túnel, siseando.

Por supuesto, siempre puedes sacar tu espada, y tratar de acabar con él, con una lluvia de golpes rápidos.

Si tratas de alejarte del creeper, y sigues corriendo por los túneles, pasa a la página 148

Si intentas impedirle el paso, con bloques de tierra, pasa a la página 36

Si atacas al creeper con tu espada, pasa a la página 53

Bajas por las paredes de la grieta, con mucho cuidado. No ves el fondo, y caerte tiene que doler. Mucho.

Tras descender un rato, te paras a pensar un momento. Pero, ¡si tienes herramientas! Tienes un pico, y una pala, para poder bajar sin peligro. Si cavas, justo, debajo de ti, y vas eliminando bloques, deberías poder bajar sin ningún riesgo.

Sacas la pala, y te pones a la tarea. Al principio, te cuesta un poquito, pero conforme vas practicando, cada vez consigues hacerlo más deprisa.

Con esta técnica, logras bajar hasta el fondo, sin hacerte ni un rasguño. Bueno, debe ser el fondo, pero no ves nada. ¿Cómo puedes estar seguro?

De repente, te acuerdas. ¡Las antorchas! Puedes poner una, en la pared de la grieta, y al menos verás alrededor.

Y, eso es lo que haces. ¡Qué gusto de luz! Ahora sí, compruebas que está al fondo de la grieta. Miras hacia arriba, y apenas distingues la superficie. Madre mía, estás muy abajo.

Observas, también, hacia izquierda y derecha, con la esperanza de tener alguna pista, sobre qué hacer, a continuación.

Tras echar un largo vistazo, te decides. Hacia la izquierda, parece que la grieta se va estrechando. En cambio, hacia la derecha, se agranda, así que vas por ahí.

De cuando en cuando, te paras un momento, a poner una antorcha en la pared, y así poder echar un vistazo alrededor. Sin embargo, no descubres nada interesante, y al cabo de un tiempo, empieza a hacerse de día.

Incluso aquí abajo, al fondo de esta enorme grieta, llega la luz del sol, y eso te alegra. Los monstruos se habrán escondido, y podrás seguir tu camino sin tanto peligro.

De repente, llegas a una zona, donde el camino se ensancha mucho. Hacia los dos lados. Es una especie de plaza, en el fondo de la grieta. ¡Caramba, hay algo muy interesante!

Una de las paredes parece haber sido tallada. La roca tiene forma, dirías que es… ¡la cabeza de un dragón! Es una enorme cabeza de dragón verde, tallada en bloques de roca. Un verde muy intenso, casi brillante. Y, tiene los ojos rojos, enormes, que miran fijamente delante de él. Es imponente.

¿Será, también, peligrosa?

Pasa a la página 127

Vas dejando atrás el poblado y sus campos, mientras te adentras en una amplia llanura, cubierta de hierba, y salpicada con plantas, rocas y árboles, aquí y allá. Entre todo ello, varios animales corretean de un lado a otro, sin prestarte atención. Ves vacas, cerdos, patos, caballos y lobos. ¿O serán perros? Puede que sean perros, porque no atacan.

Paso a paso, vas acercándote a las colinas del este. Cada vez hay más árboles, a tu alrededor, y menos animales.

Después de un buen rato de caminar hacia el este, te das cuenta de que hay menos luz. ¿Se está poniendo el sol? Te giras para comprobarlo, y efectivamente, el sol está cerca del ocaso. En poco rato, se hará de noche.

Ahora que te das cuenta, no habías previsto qué hacer, por las noches. No tienes casa o refugio, y tampoco manera de iluminarte, aparte de

Las colinas del este, cubiertas de árboles, arbustos y animales.

las antorchas. Si no encuentras una solución, ¡estarás a merced de los monstruos! ¿Qué puedes hacer? ¿Arriesgarte a seguir viajando, de noche, y confiar que vas bien armado, para defenderte? ¿O, quizá, buscar un árbol bien alto, subir a la copa, y esperar que vuelva a salir el sol?

Ir esquivando monstruos, sin ver ni un pimiento, parece una locura. Pero, pasar toda la noche despierto, subido en un árbol, tampoco te apetece nada.

Si decides arriesgarte a viajar, pasa a la página 31

Si eliges subir a un árbol, pasa a la página 111

Con prontitud, te metes en el hoyo, y comienzas a colocar los bloques sobre ti, como si fueran un tejado. Efectivamente, como pensabas, los bloques se quedan fijos en el aire. Excepto los de arena, y los de grava. No sabes porqué, esos no se sujetan, y si los pones sobre ti, se te caen encima. Son los únicos, el resto, no se caen. Qué curioso.

En muy poco tiempo, construyes un refugio, totalmente a cubierto. ¡Justo a tiempo! Escuchas ruidos de monstruos, por las cercanías. Pero, aquí no deberían molestarte. Los monstruos no saben cavar… ¿verdad?

Dedicas algo de esfuerzo, a ampliar tu pequeño habitáculo. Así, podrá moverte un poco. Además, pones una antorcha, en una de las paredes. ¡Estupendo! Es pequeño, pero servirá.

Ahora, puedes comer un poco, para recuperar la energía que has perdido, con tantas emociones. Si tuvieras una cama, el refugio sería perfecto, pero como no la tienes, te armas de paciencia, y esperas a que transcurra el resto de la noche. Cuando sale, de nuevo, el sol, rompes el techo tu refugio, y recoges los bloques, por si necesitas volver a hacerlo.

Después, le echas un vistazo al mapa, y continúas el camino, hacia el Templo del Este.

A la luz del día, el bosque tiene un aspecto mucho más agradable, y no siniestro, como anoche. Aún así, te llevas un susto cuando, detrás de un árbol, te encuentras, de golpe, con una araña. ¡Rápidamente, sacas la espada!

Pero, la araña no te hace ni caso. Cuando se te pasa el susto, recuerdas que las arañas no atacan de día. ¡Excepto, si tú las golpeas primero! Así que, guardas la espada, rodeas a la araña, y sigues adelante.

Subes colinas, y luego las bajas, siempre llenas de árboles y plantas. Te empiezas a preguntar, si serás capaz de encontrar el templo, entre tanta vegetación, cuando descubres algo curioso.

En medio del bosque, en un vallecito entre las colinas, encuentras una gran hondonada, de muchos metros de ancho.

Te acercas, con precaución, y oteas desde el borde, hacia abajo. Desde luego, es muy profunda. Como te caigas, te matas, seguro.

Estás a punto de irte, cuando divisas, al fondo del todo, un dibujo en la pared. Como una estatua, de bloques verdes, brillantes, pero no sabes qué es. Está demasiado lejos. Tendrías que bajar, para verlo bien, y el descenso es muy peligroso.

Si resuelves descender, a ver qué es aquello, pasa a la página 65

Si decides ignorarlo, y seguir tu camino, pasa a la página 7

Desde luego, no te apetece nada pasar la noche correteando, sin ver nada, y con un montón de monstruos alrededor, acechándote. Así que, buscas un buen árbol al que subirte. Hay varios cerca, pero ahora que lo piensas, ¿cómo vas a subir?

Vaya. No se puede trepar por ellos, sin más. Las hojas y las ramas te lo impiden. No es como en el mundo real, los bloques son sólidos, densos.

Recuerdas que hay algunos árboles que tienen enredaderas, pegadas a sus troncos. ¡Eso es! Por las enredaderas, sí que se puede trepar. ¿Dónde hay uno de esos árboles, rápido?

Recorres la zona, cada vez con más urgencia. A tu alrededor, escuchas sonidos amenazadores, y ves sombras que acechan, por todas partes. Unos ojos rojos te observan, y el sonido de algo que se arrastra, se va acercando a ti.

Te das la vuelta, justo a tiempo de ver como una araña salta sobre ti, y te ataca. Instintivamente, retrocedes, intentando evitar el golpe, y sacar la espada…

¡Y el suelo desaparece! Caes al vacío, varios metros, y de repente, impactas contra algo sólido. ¡Qué daño! El golpe casi te mata. Te quedas muy quieto, asustado, sin saber qué ha ocurrido, en realidad. Con mucho cuidado, giras sobre ti mismo.

Te has caído a una grieta enorme, anchísima, y muy, muy profunda. No lo ves bien, porque es noche cerrada. Pero, resulta que has tenido mucha suerte, y no has caído hasta el fondo. Estás en una pequeñísima repisa, a mitad de altura. Si hubieses caído hasta abajo del todo, ¡te habrías matado!

Ahora, estás a salvo, pero sólo si no te mueves. Al menos, los monstruos no te pueden seguir hasta aquí. Hay demasiada distancia hasta el suelo, y también hasta arriba.

UN NUEVO MUNDO

Así que, como te queda muy poca energía, y no puedes arriesgarte a caer, decides quedarte en la repisa, y esperar el amanecer.

Horas después, la luz del sol empieza a iluminar todo. Seguro, que los monstruos se han escondido. Empiezas a buscar la manera, de salir de la repisa, cuando te fijas en algo muy interesante.

Al fondo del todo, muy abajo, crees ver una figura en la pared. Como una estatua, de bloques verdes, brillantes, pero no sabes qué es. Está demasiado lejos. Tendrías que bajar, para verlo, y el descenso es muy peligroso.

Si resuelves descender, a ver qué es aquello, pasa a la página 65

Si decides ignorarlo, y seguir tu camino, pasa a la página 7

– ¡Yo mismo conseguiré ese oro, Anciano! exclamas, con entusiasmo. –Buscaré, picaré y excavaré, y volveré con todo el que necesites.

– Ah… bueno, como quieras. Me parece algo imprudente, pero te ayudaré en lo que pueda. Ven conmigo, te daré todo lo que necesitas. Tengo mucho material, repartido por distintos cofres.

El Anciano, y tú, salís del sótano donde encontraste la Esfera Dorada, y recorréis varias salas. En ellas, abre distintos cofres, y va cogiendo de ellos materiales y herramientas.

– Aquí tienes toda esta comida. Hay manzanas, zanahorias, chuletas, y muchas más cosas. Tienes, de sobra, para conseguir el oro, y algo más, para ti. Así, no te faltará qué comer, por el camino.

– Muchas gracias.

– Espera, espera, que hay más. Ten, esto es un juego completo de combate. Me gustaría poder proporcionarte una armadura de hierro, pero ahora, no tengo ninguna. Tendrás que conformarte con una de cuero. Te ayudará a sobrevivir a los peligros del viaje.

Te pones la armadura, y compruebas que se te ajusta muy bien.

– Esta espada, en cambio, sí es de hierro puro. Es nuevecita, la vas a estrenar tú –dice, mientras te alcanza la brillante hoja.

– ¡Hala, cómo mola! –exclamas al verla.

¡Ya tienes tu propia espada, y de hierro, nada menos! "Es fantástica", piensas, mientras la blandes y golpes el aire, a izquierda y derecha.

– ¡Oye, cuidado, que me vas a dar! ¡Que eso corta! Mejor guárdala, anda. Ya tendrás tiempo de usarla, te lo aseguro.

Guardas la espada, mientras el Anciano se acerca a otro cofre, y saca varias herramientas.

– Llévate esta pala de piedra. Está algo usada, pero podrás gastarla para abrirte paso, por materiales que no te interese conservar, como grava, tierra o arena. Es más rápida que el pico. Cuando encuentres algo que merezca la pena, como oro, o hierro, usa mejor este pico de hierro.

– Genial, muchas gracias, Anciano.

– Llévate, también, este montón de antorchas. Cuando estés dentro de un túnel, cavando, necesitarás ponerlas en las paredes, una cada pocos metros, y así iluminar la zona. Sin ellas, no podrás ver lo que estás haciendo, y además, estarás a merced de los monstruos. ¡Ellos no necesitan luz para atacarte!

– Qué bien que haya pensado en todo –le dices, con sinceridad.

Lo guardas todo, con el resto del equipo.

– Y, para terminar, el mapa. Indica dónde están las montañas, y todo el territorio que nos rodea. Por si cambias de idea, el Templo del Este, está marcado también, con claridad. Si decides comprarle el oro al Capataz Enano, ve allí.

– Lo tendré en cuenta, Anciano.

– Sólo una última cosa. No te entretengas con cosas sin importancia. Tienes un buen equipo, y comida de sobra. Puedes sobrevivir durante semanas, ahí fuera. Pero, recuerda que no eres de este mundo. Si pasas mucho tiempo aquí, irás olvidando tu vida en el mundo real. Al final, no querrás volver, te quedarás… para siempre.

"No permitiré que ocurra", piensas, decidido.

– Así que, repito: no te entretengas. Encontrarás mil peligros, y también montones de cosas fascinantes. Si te dedicas a ellas, te perderás. Céntrate en tu misión, encuentra el oro que necesitamos, y podrás volver a casa, con tu familia.

Asientes, decidido, y sales con él, al exterior. El Anciano te acompaña hasta el límite de la aldea, donde terminan los campos de cultivos.

– Aquí empieza tu misión, joven. En las montañas que ves hacia allí, encontrarás minas abiertas –dice señalando al horizonte. –Que el Gran Programador guíe tus pasos.

– ¿Quién?

– Ah, no importa. Buen viaje, y buena suerte.

El extraño sol cuadrado, de este mundo, sigue su camino por el cielo, hacia el oeste. Pero, tú le das la espalda, y te encaras hacia lo desconoci-

do, hacia las lejanas montañas que se extienden,
en el horizonte, hacia el sureste.

Pasa a la página 121

– ¡ÁBRETE, SÉSAMO!, –gritas, hacia el dragón verde.

Los ojos brillan, si cabe, con más intensidad. Un fuerte zumbido empieza a escucharse, y de repente, ¡unos terribles rayos rojos, salen disparados desde los ojos del dragón!

Antes de que puedas apartarte, los rayos te golpean, directamente, en el pecho, y atraviesan tu armadura, como si no existiera.

Caes al suelo, de espaldas, y todo se vuelve oscuro.

Pasa a la página 87

Dejas tras de ti el poblado y sus campos, mientras te adentras en una amplia llanura, cubierta de hierba, y salpicada con plantas, rocas y árboles, aquí y allá. También, observas distintos animales, que corretean de un lado a otro, sin prestarte atención. Hay vacas, cerdos, patos, caballos y lobos.

Paso a paso, vas acercándote a las montañas del sureste, tu primer objetivo. Cada vez hay más árboles y rocas, a tu alrededor, y menos animales.

Después de un buen rato, de caminar hacia las montañas, te das cuenta de que hay menos luz. ¿Se está poniendo el sol? Te giras para comprobarlo, y efectivamente, el sol está cerca del ocaso. En poco rato, se hará de noche.

Ahora que te das cuenta, no habías previsto qué hacer, por las noches. No tienes casa o refugio, y tampoco manera de iluminarte, aparte de las antorchas. Si no encuentras una solución, ¡estarás a merced de los monstruos! ¿Qué puedes hacer?

¿Arriesgarte a seguir viajando, de noche, y confiar que vas bien armado, para defenderte? Pero, entonces, si pasas cerca de la entrada de una mina, no la verás. Te la pasarás de largo.

A lo mejor, te da tiempo a buscar una, y esconderte dentro. Eso sí parece una buena idea. Así estarás a salvo, e incluso, podrás empezar a excavar, en busca de oro.

Apresuras el paso hacia las montañas, decidido a encontrar una mina, antes de que se vaya toda la luz. Te adentras entre colinas cubiertas de árboles. Sobre ti, en las laderas de las montañas, incluso puedes ver algunos cubiertos de nieve.

Y, entonces, encuentras algo, pero no lo que esperabas. Ya se ha hecho de noche, y enfrente de ti, más cerca de lo que te gustaría, hay dos zombis. Y, uno de ellos, además, ¡lleva un arma! No sabías que podían ir armados. Vaya, podría

¡Hay dos zombis en la entrada de la cueva!

ser un combate peligroso.

Con prudencia, das un rodeo, entre los árboles, para evitar a los zombis, cuando descubres algo más.

Detrás de ellos, hay ¡una cueva! O sea, la entrada a una mina. Qué mala pata, los zombis están justo delante, como si fueran los guardianes de la entrada.

Esa mina podría ser lo que estás buscando. Pero, tendrías que superar a los zombis. Quizá, si aprovechas los árboles, para acercarte sin que te vean, y les atacas por sorpresa, puedas vencerles.

O, a lo mejor, podrías intentar rodear la entrada, subir, un poco, la ladera de la montaña, y dejarte caer en la cueva, sin que te vean.

Es difícil decir, cuál de los dos planes es más peligroso. Si los zombis te descubren, mientras te intentas acercar, el combate puede ser mortal.

Pero, si te descubren mientras trepas la ladera, o te caes, también te meterás en un buen lío. ¿Qué hacer?

Si decides intentar sorprender a los zombis, pasa a la página 137

Si tratas de rodearles, y escabullirte en la cueva, pasa a la página 13

– ¡Chico listo! –te felicita el anciano. –Muy bien, eso es, exactamente, necesitamos ocho lingotes. Tendrás que ir a las minas a buscarlos, eso seguro.

Pasa a la página 54

¿Qué hará esta talla aquí abajo, en este sitio, donde nadie puede verla? ¿Para qué servirá? ¿Será peligrosa? Te aproximas con precaución, para verla más de cerca, y entonces, una voz poderosa y profunda, resuena por toda el área:

– ¡DI LA PALABRA MÁGICAAAAAAAAAAAAA!

¡Te pegas un susto de muerte! ¡Qué vozarrón! Miras alrededor, pero no hay nadie. ¿Quién ha dicho eso?

Tiene que haber sido el dragón. Lo observas con cuidado, mientras decides qué hacer. Los ojos rojos de la talla ¡brillan con fuerza! Está claro que es mágico.

Esperas un poco, pero no ocurre nada más. Ha gritado que digas la palabra mágica. ¿Qué palabra mágica? No tienes ni idea de cuál puede ser.

Pero, conoces algunas palabras mágicas. Quizá, alguna de ellas sirva, podrías probar, aunque quizá sea peligroso.

O, puedes ignorarlo, y continuar tu camino, ahora que ya es de día. Ya vendrás, en otra ocasión.

El dragón sigue mirando al frente, con sus brillantes ojos rojos. ¿Intentas resolver el misterio, o te marchas de aquí?

Si gritas "ABRACADABRA", pasa a la página 28

Si gritas "ÁBRETE, SÉSAMO", pasa a la página 120

Si gritas "LA PALABRA MÁGICA", pasa a la página 59

Si gritas "MINECRAFT", pasa a la página 51

Si ignoras a la voz, te vas, y trepas por la pared, pasa a la página 7

Decidido a superar cualquier obstáculo, continúas tu camino, con decisión. Te vas alejando del gran lago, y te internas en un terreno arenoso, casi sin plantas, ni animales. Una especie de desierto, sin duda. Ves grandes plantas con brazos, cactus, crees recordar que se llaman.

¿Qué era lo que hacían los cactus? Ahora mismo, no recuerdas. Como ya tienes hambre, sacas algo de comida de tu inventario, y mientras masticas una manzana, te aproximas a un cactus, para observarlo de cerca.

¡¡¡Mecachis en la mar, qué daño!!! Te apartas con rapidez del cactus, en cuanto recibes una dolorosísima punzada en tu mano. Ya te acuerdas, de lo que hacen los cactus. ¡Pinchar! Eso hacen. Tienen unas púas muy puntiagudas, y pinchan, terriblemente. ¡Qué dolor!

– Aaaaaaaaaaugh –dices, dolorido, mientras te observas la mano.

La zona cercana al lago es arenosa, y repleta de cactus altísimos.

– Aaaaaaaaaugh –repite alguien, detrás de ti, con una voz horrorosa.

El sonido gutural te sorprende, y en seguida, comprendes el lío, en el que te has metido. Te giras despacio, y tu temor se confirma. El que gruñe es ¡un zombi!

Un feo zombi, que está a escasos metros de ti, y se acerca, amenazador, mientras extiende sus brazos podridos para atraparte. Mientras te distraías con el cactus, se ha hecho de noche, por completo, y los monstruos han salido, a hacer de las suyas.

Retrocedes, rápidamente, y casi te vuelves a pinchar con el dichoso cactus. Lo rodeas, y consigues interponerlo entre el zombi y tú, lo que te da un momento de respiro, para decidir qué hacer.

Un zombi, desarmado, y sin armadura, no es un enemigo muy peligroso. ¡Deberías poder derrotarle, con tu poderosa espada! Unos cuantos golpes, y caerá a tus pies.

O, ¿será mejor salir huyendo, aprovechando que tú eres mucho más rápido?

Si decides enfrentarte al zombi, saca tu espada y pasa a la página 152

Si prefieres salir huyendo, pasa a la página 74

Te aproximas al poblado, que está compuesto por unas diez casas. En los alrededores, ves vacas, ovejas, cerdos y caballos, pero no están sueltos, como en otros lugares que has visitado. Estos, están en corrales rectangulares, al resguardo de monstruos y peligros. Además, hay campos de cultivo, bien alineados, y rodeados de vallas de madera. ¡Está muy bien organizado!

Ahora, que estás más cerca, puedes ver también a los aldeanos, que parece estar ocupados en diversas tareas. Es curioso, porque los aldeanos tienen la cabeza, realmente, grande. ¿Por qué los habrán hecho tan cabezones? Qué graciosos.

Ellos te ignoran, cuando te acercas más, y ni siquiera parecen reparar en ti. Así, puedes pasear, tranquilamente, entre las casas, entrar en ellas, y cotillearlo todo.

Tampoco es que haya nada muy interesante en ellas, la verdad. Están vacías.

Entras en una aldea muy bien organizada, con cultivos y animales.

Sin embargo, después de entrar en varias, te llevas una sorpresa. ¡Encuentras una casa llena de objetos y muebles! Tiene librerías en las paredes, muchos cuadros, una cama, y diversos cofres misteriosos. ¿De quién será esta casa?, te preguntas mientras la exploras, lleno de curiosidad.

Hay de todo. Los cofres tienen comida, materiales, y hasta armas y armaduras. Desde luego, el dueño ha estado muy ocupado.

Sin embargo, lo mejor, lo más interesante, aún está por llegar. La casa tiene una escalera, al piso superior, y otra, que baja a un sótano. Decides descender y, en el sótano, tras una puerta, encuentras el misterio más grande de todos. Una gran estancia, vacía por completo, excepto por una especie de enorme globo amarillo, mucho más grande que una persona, que flota en el centro.

¿Qué puede ser esto? Desde luego debe ser mágico. Un lugar muy especial, de Minecraft.

Das una vuelta alrededor, sin ver nada diferente, y entonces, cuando te aproximas a tocarlo, el globo comienza a brillar más, y más fuerte. ¡Brilla tanto, que su luz inunda toda la sala, y apenas te deja ver alrededor!

Pasa a la página 17

Resuelto a derrotar a esos zombis, observas, con cuidado, para dónde están mirando. Entonces, das un rodeo, y te acercas, despacio, por su espalda.

Cuando estás bien cerca, te asomas desde detrás de un árbol, y preparas el asalto. Tres, dos, uno, ¡a por ellos!

Sales de detrás del árbol, te echas encima del zombi, y antes de que pueda decir "aaaugh", le atizas con tu flamante espada de hierro. ¡Zasca! El zombi se da la vuelta, pero tú sabes que necesitas derrotarle con rapidez, así que le sigues dando espadazos, hasta que cae al suelo. ¡Uno menos!

El otro zombi ha aprovechado para acercarse, y te golpea con sus manos mugrientas. Por fortuna, tu armadura te protege de lo peor, y vuelves contra él tu espada, en una nueva lluvia de golpes. El zombi hace lo que puede por herirte, pero tú no le das ninguna oportunidad, y en pocos segundos, cae junto a su compañero. ¡Victoria!

Los cuerpos de los monstruos desaparecen, pero a tus pies, dejan varios objetos, que no reconoces. Unos son pequeñas bolas verdes, pero hay más cosas. Los recoges todos, y escuchas un curioso sonido, como de campanitas, muy suave. ¿De dónde habrá salido?

Dos de los objetos, resultan ser comida podrida. ¡Puaj, qué asco! La tiras bien lejos, y te frotas las manos en la armadura. Los zombis son algo asqueroso.

No ves la espada que tenía el zombi, por ninguna parte. ¿Se habrá desvanecido?

Vas a mirar las bolas verdes, para ver qué son, y resulta, que ya no están. Tampoco se te han caído al suelo. Las acabas de recoger, pero han desaparecido. Qué cosa más extraña.

Bueno, ya te has librado de los zombis. Menos mal, porque ya es noche cerrada, y seguro que todo el bosque está lleno de monstruos.

Entras en la cueva, con precaución, y echas un vistazo. Está claro, que necesitas luz. Sacas una de las antorchas, y la clavas a media altura, en una pared cercana. ¡Mucho mejor!

La cueva es bastante grande, tiene un techo alto, y se extiende, en forma alargada, hacia el interior de la montaña. De un primer vistazo, distingues que hay minerales en sus paredes. "¡Magnífico!", piensas. "Ojalá, alguno sea oro."

Sin embargo, tu búsqueda del oro deberá esperar un poco más. Al fondo de la cueva, escuchas pasos. Vuelves a sacar tu espada, y te acercas, con cuidado. ¿Habrá más zombis?

Ves que hay un túnel, algo estrecho, que se introduce en la montaña. Quizá, conduzca a otros pisos de la mina. De él sale el sonido de pasos. Te acercas un poco más, y entonces lo ves. Otro zombi, que se vuelve hacia ti, y avanza.

¡Espera, eso no es un zombi! Es uno de esos monstruos terribles, que explotan al acercarse: un creeper.

Asustado, te apartas del creeper, tan rápido como puedes. Pero el ser, sin decir una palabra, se dirige hacia ti, mientras emite un sonido siseante. ¡Va a estallar! Tienes que alejarte de él, como sea.

Correteas por la cueva, mientras el creeper te persigue. Logras mantenerlo a distancia, pero no puedes estar dando vueltas toda la noche. ¿Cómo podrías librarte de él?

Si atacas al creeper con tu espada, de frente, pasa a la página 53

Si le rodeas, y sales disparado de la cueva, al exterior, pasa a la página 144

Si le rodeas, y te introduces en el túnel del que salió, pasa a la página 99

Entras en una sala mediana, con una mesa y bancos. También hay una alfombra, y una maceta, con unas extrañas flores rojas. Está iluminada con varias antorchas, en las paredes.

Pero, lo más importante de todo, es que hay unas escaleras, que bajan. ¡Puede ser el acceso que buscas!

Te aproximas, y desciendes, con precaución. Al final de las escaleras, hay una puerta. La abres, y entras en una estancia mediana, alargada, con antorchas en las paredes, y ¡unas Puertas Rojas!, en el otro extremo.

Y, montones de cofres. A lo largo de las paredes, hay cofres y cofres y más cofres. Habrá unos veinte, o más. ¿Qué contendrán?

Te aproximas a uno, lo examinas, y lo abres con cuidado, por si tuviera alguna trampa.

Pero, no pasa nada. No hay trampa. No hay nada de nada, de hecho. Está vacío.

Miras el siguiente, y lo mismo. Vacío. Vaya, qué chasco.

Vas abriendo todos los cofres, y en todos, descubres lo mismo. Nada en su interior. Parece la colección de cofres vacíos, de alguien.

Así que, te vuelves hacia las puertas, fabricadas con algún material rojo. Las abres, fácilmente, y ves un pasillo, guardado por seres de piedra.

El pasillo es ancho, pero tiene un foso, al principio. La primera hilera de bloques, sencillamente, no está. Así que, hay que saltar, para entrar al pasillo. Y, además, detrás de ese foso, hay dos estatuas, una al lado de la otra. Dos estatuas grandes, mirando hacia ti. No son esqueletos, ni nada parecido, son golems. Monstruos de piedra.

Las observas, pero no hacen nada. Sin embargo, cuando llegas delante del foso, una voz resuena por toda la habitación.

– Somos los Guardianes de las Minas Profundas. ¿Quién quiere pasar?

Algo asustado, dices tu nombre, y la voz resuena otra vez.

– ¿Quién te envía?

– El Anciano –respondes.

– ¿A qué vienes a las Minas Profundas?

Si contestas "a comprar oro", pasa a la página 50

Si respondes "a visitarlas", pasa a la página 154

Si dices "a vender comida", pasa a la página 98

Como tienes espacio suficiente, consigues mantener la distancia, entre el creeper y tú. Pero, no quieres enfrentarte a él, y tampoco vas a encerrarte en la cueva. Así que, no te queda otro remedio que huir al exterior.

Sales disparado, y pones buena distancia entre el creeper y tú. Eres más rápido, y los árboles te ayudan a esconderte.

Cuando estás seguro, de que le has dejado bien atrás, te paras a pensar qué vas a hacer, ahora. Está claro, que las minas son lugares más peligrosos, de lo que te imaginabas. Quizá, sea mejor abandonar la idea de conseguir el oro por ti mismo, y continuar camino hacia el Templo del Este. También, será arriesgado, porque viajar de noche será muy peligroso, sin duda.

O, tal vez merezca la pena comprobar si el creeper sigue cerca. Salió de la cueva, detrás de

¡El creeper se te echa encima! ¡Va a estallar!

ti. Tal vez esté, ahora, dando vueltas por el bosque, y puedas apoderarte de la mina.

Echas un vistazo, desde los árboles, pero no ves al creeper, por ninguna parte. ¿Se habrá marchado? ¿O estará esperando que te descubras?

Si abandonas la idea de extraer el oro, y te pones en marcha hacia el templo, pasa a la página 31

Si quieres intentar apoderarte de la mina, pasa a la página 62

– No, hombre –te corrige el anciano. – ¿Cómo van a faltar diez lingotes? Hay que mejorar en cálculo, ¿eh? Verás, para las tres manzanas de oro, necesitamos un total de veinticuatro lingotes. Como ya tenemos dieciséis, sólo nos restaría conseguir ocho de ellos. Tendrás que ir a las minas a buscarlos, eso seguro.

Pasa a la página 54

Das la vuelta, y sigues corriendo por el túnel, lo más rápido que puedes. Te alejas del monstruo, y confías en poder despistarle.

De repente, chocas contra algo. ¿Es el final del túnel? Giras alrededor, buscando por dónde continúa, pero no ves bien si hay más pasillo. Pruebas aquí y allá, cada vez más nervioso, mientras el sonido de pasos se aproxima.

Por fin, encuentras un nuevo pasillo, y reanudas tu carrera, sin tener claro cuánto podrá durar.

No mucho. Algo más allá, caes, de repente, unos cuantos metros, y a pesar de la armadura, te das un buen golpe. Estás, todavía, tratando de orientarte, cuando algo te golpea en el pecho, con fuerza. ¡Qué daño! Alguien te ha disparado una flecha. No ves quién ha sido, pero otra flecha más te atraviesa.

Desesperado, intentas apartarte de donde estás, para tratar de evitar morir acribillado. Pero,

Un esqueleto, escondido en la oscuridad, te dispara con su arco.

no ves nada. No sabes para dónde ir. Otra flecha roza tu cabeza.

Sacas una antorcha, y la pones en la pared, para orientarte, pero es lo último que consigues hacer.

A pocos metros de ti, oculto entre las sombras, un esqueleto, armado con un arco, vuelve a dispararte, sin que puedas hacer nada para evitarlo.

La flecha se te clava con fuerza, y todo se vuelve más oscuro.

Pasa a la página 87

Decides, que merece la pena, encontrar una casa, así que partes en busca de un poblado. Como aún no conoces la zona, recorres la pradera, de aquí para allá.

Ves colinas, una montaña bastante alta, y varios lagos. Tras un rato de exploración, encuentras tu primer poblado, cerca de un gran bosque. Mira qué bien, además, tienes madera cerca. Seguro que le sacarás buen provecho.

Pasa a la página 133

¡A por el zombi! Das la vuelta al cactus, y te enfrentas al monstruo, cara a cara. El ser intenta atraparte con sus sucias garras, pero tú le golpeas de frente, en toda la cabeza. ¡Impacto! El zombi te devuelve el golpe, pero tu armadura evita que recibas daño. ¡Menos mal!

Retrocedes un poco, mientras le sigues golpeando. Te das cuenta de que, si tienes un poco de cuidado, la ventaja que te da la espada, más la protección de tu armadura, son suficientes para ganar sin sufrir ni un rasguño. Todo acaba muy rápido, y el zombi cae a tus pies, destruido. ¡Victoria!

Cuando cae, el monstruo suelta un objeto verde, y otro que no distingues, sobre el suelo. Encantado con tu victoria, te acercas a recogerlos, y entonces escuchas más sonidos inquietantes. Suena como varios seres, que se arrastran.

Mientras combatías al zombi, dos arañas enormes, negras, peludas, con grandes ojos rojos, se te han acercado, con malas intenciones. Las habías visto antes, pero nunca de tan cerca. ¡Qué mala pinta tienen!

Y, encima son dos. ¿Podrás también con ellas, o será mejor huir, esta vez?

Si resuelves enfrentarte a las arañas, pasa a la página 68

Si decides coger lo que tiró el zombi, y salir huyendo, pasa a la página 71

No vuelves a oír la voz, y todo queda en silencio. Los golems no se mueven.

Te aproximas al foso, y le echas un vistazo. Parece muy profundo. Pero, no es ancho, saltarlo es fácil.

Después de dudar un poco, tomas impulso, y saltas el foso. Caes al otro lado, sin problemas.

Pero, de repente, el gólem que tienes delante, se activa, y te golpea en el pecho. ¡Ay! No te hace mucho daño, pero el golpe te impulsa ¡hacia atrás! Sin que puedas evitarlo, caes al foso que acabas de saltar.

Caes, caes, y caes durante mucho tiempo. Así es, como los guardianes de las Minas, se deshacen de los intrusos.

Pasa a la página 87

Parece, que no recuerdas tu viaje con exactitud. No encontraste ningún rubí, en tu viaje.

Así que, no tienes ninguna gema valiosa, con la que pagar al Capataz, para que te deje usar su Máquina de Teletransporte.

Pasa a la página 29

Paseas por el pueblo, caminas entre los aldeanos, y entras en la casa del Anciano. Le encuentras enseguida, y te saluda.

– ¡Has vuelto! ¡Bienvenido, bienvenido! ¿Ha ido todo bien?

– Muy bien, Anciano. ¡Traigo el oro que necesitamos!

– ¡Excelente! Excelente, muchacho. Eres un aventurero de campeonato. Ahora, podré cocinar las tres manzanas de oro, y reactivar la Esfera Dorada. ¡No perdamos tiempo!

Le entregas los ocho lingotes de oro, al Anciano, y este se dirige a un horno de cocción, que tiene en su casa. Pone unos ingredientes aquí, otros allá, y comienza a preparar las manzanas.

Mientras estas se preparan, le cuentas al Anciano todas las aventuras que has tenido, los misterios y los monstruos. Él te escucha con atención, fascinado.

Al cabo de un rato, la preparación termina, y el Anciano te muestra las tres manzanas doradas. Parecen magníficas, y por lo que cuenta el Anciano, desde luego, lo son. Ambos, os dirigís al sótano, donde se encuentra la Esfera. Entonces, introduce las manzanas en su interior, una por una.

Conforme las va introduciendo, la Esfera empieza a brillar, y cuando deposita la tercera, el brillo se hace tan intenso, que no la puedes mirar, directamente. El Anciano se gira hacia ti, y te habla, solemne.

– Ha llegado el momento, de que vuelvas a casa. He disfrutado mucho, con tu presencia, y desde luego, me encantaría volver a verte. Pero, eso depende de ti. Si te gustaría volver a vivir aventuras en Minecraft, ya sabes cómo hacerlo.

¡Por fin, ya tienes la fabulosa Manzana Dorada!

UN NUEVO MUNDO

– Mientras estés en tu mundo, conseguiré más manzanas, y tendré la Esfera preparada, por si decides regresar.

– Seguro que volveré, Anciano. No me lo perdería, por nada del mundo.

– Bien, bien. Estupendo, me alegrará volver a verte. Bueno, pues… entra en la Esfera. ¡Feliz regreso!

– Adiós, Anciano.

Te giras hacia la Esfera, caminas hacia ella, la tocas con la mano, y…

Durante unos instantes, no ves nada de nada. La luz es demasiado intensa.

Después, el fulgor se desvanece, y compruebas, que estás en el salón de tu casa. ¡Has regresado! ¡Lo has conseguido!

Entonces, la voz familiar de tu padre, te llega, cercana:

– Vamos, aventurero. ¿No me has oído? Ya es hora de cenar. Venga, que mamá nos espera.

FIN

CPSIA information can be obtained
at www.ICGtesting.com
Printed in the USA
BVHW031416071222
653673BV00009B/913